FRISSONS DANS LA NUIT

FRISSONS DANS LA NUIT

Un roman de Carole Montreuil

illustré par Bruno St-Aubin

SOULIÈRES ÉDITEUR

case postale 36563 — 598, rue Victoria,
Saint-Lambert, Québec J4P 3S8

Soulières éditeur remercie le Conseil des Arts du Canada et la
SODEC de l'aide accordée à son programme de publication et
reconnaît l'aide financière du gouvernement du Canada par
l'entremise du Programme d'Aide au Développement de l'Industrie
de l'Édition (PADIÉ) pour ses activités d'édition.

LE CONSEIL DES ARTS
DU CANADA
DEPUIS 1957
THE CANADA COUNCIL
FOR THE ARTS
SINCE 1957
Patrimoine Canadian
canadien Heritage
SODEC
Québec ∷

Dépôt légal: 2001
Bibliothèque nationale du Canada
Bibliothèque nationale du Québec

Données de catalogage avant publication (Canada)

Montreuil, Carole

Frissons dans la nuit
(Collection Ma petite vache a mal aux pattes; 24)
Pour les jeunes de 6 à 9 ans.

ISBN 2-922225-52-6

I. St-Aubin, Bruno. II. Titre. III. Collection.

PS8576.0551A72 2001   jC843'.54   C00-941852-0
PS9576.0551A72 2001
PZ23.M66Aa 2001

Conception graphique de la couverture:
Annie Pencrec'h

Logo de la collection:
Caroline Merola

*À Alexandre
et à Rachel
et à Guy aussi,
pour sa patience infinie.*

Chapitre 1

Un fantôme dans ma chambre !

En ce deuxième vendredi de juin, avec plus de vingt minutes de retard, Carole-Anne est entrée dans la classe. Elle avait les lunettes tout de travers. Ses courts cheveux bruns avaient l'air d'avoir livré et perdu une dure bataille contre le peigne. Les bas dépareillés, elle était essoufflée : cela avait l'air grave.

— Ouf ! Excusez-moi... pfff !... d'être en retard... pfff !... pfff !... mais, cette nuit, il y avait un fantôme dans ma chambre !

Devant ses compagnons sans réaction, elle est restée étonnée.

— Alors ? Ça n'a pas l'air de vous impressionner !

Son ami Guillaume lui a rappelé que, la semaine précédente, elle était arrivée à peu près dans le même état. Cette fois-là, elle avait trouvé un bébé crocodile dans son verre d'eau.

— Et, il n'y a pas trois semaines, tu as découvert un serpent à sonnettes à l'intérieur de ta pomme, a ajouté Marc-André Delisle.

— Tout le monde sait que tu as une araignée dans le plafond, a lancé méchamment Grégoire.

— Franchement, ce n'est pas ma faute si j'ai une vie plus palpitante que la vôtre ! s'est exclamée Carole-Anne. Et ce n'est pas une araignée que j'ai dans le plafond. J'ai un fantôme dans ma chambre, ce n'est pas pareil.

— Bon, c'est bien les amis, est intervenue Mariette, la professeure. En attendant, nous avons beaucoup de travail à faire. Carole-Anne, tu es la seule à ne pas avoir présenté ta communication orale. Es-tu prête ?

— Oui, le temps d'enfiler mes espadrilles.

Comme les autres élèves, elle devait faire une courte pré-

sentation sur un sujet libre. Une façon agréable de passer quelques heures en cette fin d'année scolaire.

— Salut la classe, a-t-elle commencé. Ce matin je vais vous parler du Cirque de La Lune. J'y suis allée mercredi soir. Ce que j'ai préféré à tout le reste, ce sont les trois petits singes.

— Quatre singes tu veux dire, a rectifié Grégoire.

— Non, trois, je sais compter, quand même.

— Moi aussi, figure-toi, et j'en ai compté quatre.

— C'est que tu devais te regarder dans un miroir au moment où tu les as comptés.

Sous les éclats de rire de tout le monde, Grégoire n'a rien ajouté. Carole-Anne a pu terminer sa communication orale. Elle a fini en disant : «Et il y a un fantôme chez-moi.»

À la récréation du matin, Marie-Ève, Francis et Guillaume

écoutaient le récit de leur amie.

— Je vous le dis. J'étais en train de lire *Le Petit Prince*, rien d'épeurant là-dedans. Puis, j'ai entendu un râlement sinistre. Non. Pas sinistre, pire que ça. Abominable. Je me demandais d'où pouvait provenir un cri aussi démoniaque. En tout cas, cela a duré une partie de la nuit. Ça m'étonne que ma mère ne m'ait pas retrouvée morte de peur ce matin. Je me suis finalement endormie la lumière allumée, couchée en boule sous mes couvertures. J'en tremble encore, torpinouche !

Elle a placé ses mains devant elle. Elle a écarté les doigts et, effectivement, elle tremblait. Tout le monde a dû

admettre que cela avait l'air vrai. Carole-Anne semblait sincèrement secouée.

— Je pense à quelque chose, a dit Guillaume. Je sais que tu habites une maison qui est assez vieille. Ce qui laisse présumer que plusieurs familles l'ont habitée avant la tienne.

— Et alors ?

— Peut-être qu'un assassin a déjà habité là ?

— Gulp... Cela expliquerait peut-être pourquoi ils ont déménagé le cimetière, a songé Carole-Anne à voix haute.

— Un cimetière ? a fait Marie-Ève.

— Oui, celui qu'il y avait derrière notre maison.

— Un cimetière ? Il y avait un cimetière à quelques pas de

chez toi ? Wow ! s'est exclamé Francis.

— Je ne comprends pas pourquoi cela expliquerait la disparition d'un champ de squelettes, a commenté Marie-Ève.

— Personne ne voudrait être enterré tout près d'une maison maudite, a expliqué sa copine. Les familles ont pu faire déplacer les cercueils dans un endroit plus propice au repos éternel.

— Ouais, ce n'est pas bête ce que tu dis, a appuyé Francis.

— Alors on pourrait explorer les alentours de votre cour. Qui sait ? On pourrait découvrir des choses intéressantes, a dit Marie-Ève, les yeux brillants d'excitation. Peut-être ont-ils oublié un mort, seul au fond de sa tombe...

Guillaume a fermé les yeux en pensant à son père, mort l'année précédente dans un accident de voiture. Il s'est demandé s'il était devenu un fantôme. S'il pouvait le voir et l'entendre. S'il pouvait lui faire un signe quelconque pour lui dire qu'il était là, tout près.

Le son de la cloche s'est fait entendre. Il était temps, d'ailleurs, parce que Marie-Ève leur avait donné la chair de poule.

Dans le rang, Guillaume a proposé de se rencontrer chez Carole-Anne pour entreprendre leur fouille. Ils se sont entendus pour sept heures et demie, le soir même. Ils étaient tous les

quatre plutôt agités. Un peu inquiets aussi d'entreprendre des recherches dont ils ignoraient les aboutissements.

Chapitre 2

Un cadavre
encore frais

Vendredi soir. Fidèles au rendez-vous, ils étaient chez leur amie. Elle habitait une grande maison du vieux quartier de leur ville.

Carole-Anne les a d'abord fait entrer un moment. Francine, sa mère, voulait les voir. Ils attendaient dans le vestibule.

Sans la voir, ils savaient exactement où se trouvait Francine. Quelle direction elle prenait pour arriver jusqu'à eux. Les planchers craquaient sous chacun de ses pas.

Guillaume était de plus en plus certain qu'au moins un fantôme se cachait dans cette maison, peut-être même plus qu'un.

Carole-Anne était consciente de l'effet que cette atmosphère particulière avait sur ses copains. Elle, qui ne pouvait se taire trente secondes d'affilée, ne disait pas un mot. Elle les observait du coin de l'oeil pendant qu'ils restaient plantés sur la carpette du vestibule.

Les cheveux bruns courts, les lunettes à fine monture

noire sur des yeux bleus, la mère et sa fille se ressemblaient comme deux gouttes d'eau.

— Salut les jeunes ! Carole-Anne m'a parlé de vos projets pour ce soir. Je vous ai préparé des muffins aux carottes et aux ananas pour que vous soyez pleins d'énergie. Je voulais en faire aux bananes et au chocolat, mais j'ai eu des voleurs de bananes ce matin, on dirait.

N'est-ce pas ma chérie ? a-t-elle ajouté avec un clin d'oeil.

— Ce n'est pas moi, maman.

— Bon, ça ne fait rien. Elles étaient là pour être mangées. Allez, entrez.

Pendant dix minutes, ils ont savouré les délicieux muffins. Francine leur a dit qu'elle avait déjà effectué quelques recherches sur les anciens propriétaires. Malheureusement, elle n'avait pu tous les retracer.

Après avoir mangé, Carole-Anne est allée se changer. Quand ses amis ont vu son accoutrement, ils ont pouffé de rire. Il n'y avait que Francine qui ne riait pas. Elle était probablement habituée aux extravagances de sa fille unique.

La jeune fille portait un vieux pantalon vert kaki deux fois trop

grand pour elle et une veste de la même couleur. Sur sa tête, une casquette de soldat reposait sur ses lunettes. Elle s'était noirci le visage avec un bouchon de liège brûlé. Elle tenait une énorme lampe de poche dans ses mains gantées.

Sa mère lui a simplement rappelé de ne pas rentrer plus tard que neuf heures. Elle leur a souhaité bonne chance en prenant dans ses bras, Katou, leur chatte siamoise. Les jeunes ont quitté la maison.

— Mes amis, l'heure est grave, a dit Carole-Anne. Il est temps pour nous d'affronter les sinistres ténèbres du boisé. Tout le monde est prêt ? N'oubliez pas. Tout ce qui pourrait appartenir à mon fantôme est digne d'intérêt. Sa tombe, ses os, n'importe quoi.

Après un dernier échange de regards, ils se sont mis en marche.

Il commençait à faire sombre sous les branches des grands érables. Le soleil déclinait depuis un moment déjà. Il laissait derrière lui une faible lueur orangée qui se jetait dans le ciel. Le vent s'était levé, de fort mauvaise humeur. Il ébouriffait leurs cheveux dans tous les sens. Le doux bruissement des feuilles s'était transformé en une espèce de froufrou effrayant. Les enfants osaient à peine respirer. Les arbres s'étaient transformés en fantômes qui étendaient leurs bras jusqu'à eux. Ils plantaient leurs griffes dans leurs vêtements et leur visage.

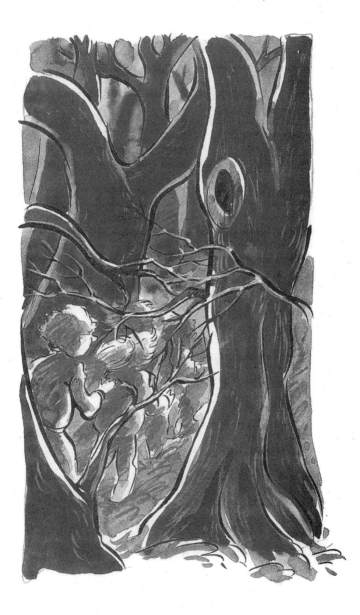

Guillaume a buté sur quelque chose. Sans Francis, qui l'a rattrapé juste à temps, il serait tombé. Ils ont scruté le sol avec leur éclairage électrique. Puis le faisceau d'une lampe de poche est tombé sur une croix. Elle était formée de deux bouts de branches nouées au centre avec un lacet de chaussure. Elle mesurait à peine trente centimètres de hauteur. À côté d'elle, un monticule de terre d'environ vingt centimètres sur quarante. Monticule qui laissait croire à la présence d'une tombe.

— Attendez, je crois que j'ai trouvé quelque chose. Regardez ! s'est écrié Guillaume.

— Oh ! une tombe ! s'est écriée Marie-Ève, stupéfaite.

— Torpinouche ! ce n'est qu'Henri, a soupiré Carole-Anne.

— Henri ? ont demandé les trois autres en même temps.

— Vous allez voir.

De ses longs doigts fins, Carole-Anne a creusé et dégagé le cercueil. Elle l'avait emballé dans un sac de plastique hermétique. Elle l'a sorti délicatement du sac. C'était une boîte à peine plus grosse qu'un dictionnaire. Elle en a retiré le couvercle. Marie-Ève braquait la lumière directement sur l'objet. Ils se sont retrouvés devant une sauterelle gigantesque, enveloppée dans du papier cellophane.

— Henri ? ont interrogé les amis.

Chapitre 3

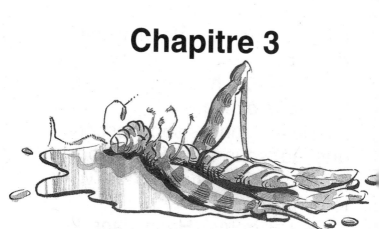

Sauvetage raté

Au fond de la boîte, comme une momie, gisait Henri. Il était bien conservé.

— Qui c'est, Henri ? a demandé Guillaume.

— C'est la sauterelle que j'ai sauvée avant-hier. Bonjour toi ! a-t-elle ajouté en s'adressant à Henri.

Ils ont pressé leur amie farfe-

lue de leur raconter l'histoire
d'Henri.

— Venez chez moi, je vais
tout vous expliquer.

À la maison, ils sont descen-
dus au sous-sol. Ils ont pris
place sur les fauteuils de ve-
lours brun.

— J'ai trouvé Henri dans la
piscine en train de boire la tasse.

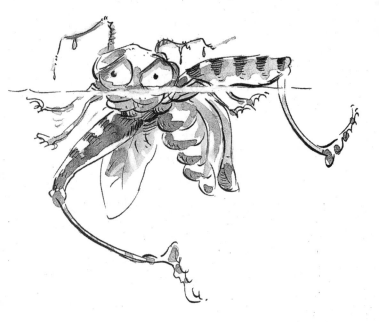

— Tu l'as entendu tousser ?
a coupé ironiquement Marie-
Ève.

— Bien non, voyons. Mais il
avait l'air d'en baver. J'ai pris le
filet à moustiques et je l'ai
sauvé d'une mort atroce et iné-
vitable. Il a repris son souffle. Il
m'a bien semblé apercevoir un
sourire sur ses traits fatigués.

— Hum-hum, a rajouté Marie-
Ève, sceptique.

— O.k., je l'admets. Je ne
sais pas si c'est l'affrontement
avec la mort ou la nature qui lui
avait donné une face aussi af-
freuse. De toute façon, je
n'étais pas certaine qu'il s'en
sortirait. Je ne voulais pas
l'abandonner. Alors, je suis allée à la maison chercher une
paille. Je lui en ai mis une extré-
mité sur le visage. J'ai soufflé

dans l'autre bout. Ainsi, je lui ai donné la respiration artificielle. Sans mon intervention héroïque, Henri serait mort dans la piscine. Grâce à moi, il n'est mort que quelques heures plus tard.

— Tu ne l'as même pas eu une journée ? a dit Francis.

— Euh ! non. Je me suis dit qu'il avait besoin de beaucoup de repos et de nourriture pour se refaire des forces. Je l'ai donc installé dans un bocal. Je lui ai donné de l'herbe et des feuilles. J'ai refermé le couvercle pour le protéger contre ses ennemis naturels. Je l'ai placé au soleil pour qu'il sèche rapidement. Pour sécher, il a séché.

— Que s'est-il passé ? a demandé Guillaume.

— J'ai oublié de faire des trous dans le couvercle.

— Tu as oublié de percer le couvercle pour laisser passer l'air. Il est mort étouffé au lieu de mourir noyé.

Guillaume n'a pu se retenir. Il a éclaté de rire, suivi par les trois autres. Ils riaient tellement que des larmes roulaient sur leurs joues. Brusquement, Carole-Anne a cessé de rire. Sa bouche et ses yeux se sont ouverts tout grands, comme si elle avait vu... un fantôme !

— Qu'est-ce qu'il y a ? a demandé Marie-Ève inquiète, en arrêtant de rire elle aussi.

— Je viens de penser à quelque chose d'effrayant !

— À quoi donc ? a dit Francis.

— Et si c'était le fantôme d'Henri ? Son esprit vengeur est

venu pour me punir. Il veut me faire endurer des tourments affreux. Aussi affreux que ceux qu'il a connus par ma faute avant de rendre l'âme.

— Hé ! tu exagères un peu.

— Je n'exagère pas Marie-Ève. Je suis très sérieuse. Pourquoi les insectes ne deviendraient-ils pas des fantômes ? C'est sûrement lui qui vient se frotter les pattes à la tête de mon lit. Il veut me rendre folle. Il n'y a pas d'autre explication.

— Écoute, Carole-Anne. Il faudrait d'abord s'assurer que tu n'as pas rêvé tout ça. Je ne dis pas que je ne te crois pas ! Seulement, nous devons vérifier toutes les possibilités. Et l'une d'elles est que tu aies fait un cauchemar.

— Oui, tu as raison Guillaume. Si vous pouviez dormir ici… C'est ça ! Venez dormir ici, comme ça vous verrez bien si je rêve ou pas. Demain soir, ça vous convient ?

Ils ont confirmé qu'ils demanderaient à leurs parents de revenir passer la nuit chez elle le lendemain soir.

Neuf heures ont sonné. Il était temps de se quitter.

Chapitre 4

Rencontre avec
l'au-delà

C'était un samedi nuageux et venteux, malgré le magnifique coucher de soleil faussement prometteur de la veille. À vingt et une heures, les quatre compères jouaient une partie de Monopoly dans la chambre de Carole-Anne. Ils s'amusaient tellement qu'ils en avaient presque oublié la raison de cette soirée. Jusqu'à ce que Marie-Ève se mette à bâiller. Il faudrait se mettre bientôt au lit. Affronter le spectre.

Ils se sont changés, chacun à son tour, dans la salle de bains. Les garçons portaient un pyjama avec des personnages des Looney Tune. Marie-Ève avait un joli pyjama fleuri. Elle avait dénoué ses cheveux blonds et les brossait longuement. Carole-Anne avait enfilé un léger pyjama rose tout d'une pièce, avec des oursons bruns dessus. Elle cachait ses pieds dans d'énormes pantoufles qui représentaient des chiens.

Pour terminer la soirée, Carole-Anne leur avait préparé une surprise de taille. Il était près de vingt-deux heures lorsqu'elle

a ouvert le tiroir de sa table de chevet. Elle en a sorti une vingtaine de petites bougies noires assez larges pour tenir sur elles-mêmes. Ils les ont disposées sur les meubles et ils les ont allumées.

Elle a fait asseoir ses compagnons sur le plancher recouvert d'une moquette. Elle a éteint sa lumière pour ne laisser qu'une veilleuse dans la pièce. Elle a attrapé sous son lit le jeu *Causerie avec les esprits qui se meurent d'ennui*. Un jeu censé faire venir les esprits de ceux qui sont morts… d'après Carole-Anne.

— Euh… penses-tu que ce soit une bonne idée de jouer à ça ? a demandé Marie-Ève.

— Nous n'avons pas le choix. Il faut essayer, a répondu sa copine.

— Prépare ton jeu. Bien sûr qu'on va l'appeler ta saute-relle ! Minou-minou-minou ! Minou-minou-minou ! a fait Francis avec quelques claquements de langue.

Carole-Anne avait apporté un vieux raisin sec pour le fantôme. « Au cas où il aurait une fringale », a-t-elle expliqué. Elle a posé délicatement le buffet froid sur une tablette de la bibliothèque.

Elle a ouvert un tiroir de sa commode et en a sorti une nappe noire circulaire. Elle l'a déployée silencieusement sur le sol. Personne n'émettait le moindre son. Elle a mis son jeu électronique sur la nappe : un écran plat, couché, sur lequel se trouvait un clavier miniature d'ordinateur. En fait, les touches ne représentaient pratiquement que les chiffres et les lettres de l'alphabet.

Elle s'est assise en tailleur à côté de la nappe, face au jeu. Elle a tendu les bras et ouvert les mains. Francis et Guillaume se sont assis à ses côtés. Marie-Ève s'est installée en face de son amie, de l'autre côté. Ils ont décidé que seule Carole-Anne parlerait à son invité spécial.

Autour du jeu, ils se sont tenu les mains, formant ainsi une chaîne. Ils unissaient leurs forces pour faire venir Henri, du moins ce qu'il en restait. Ils ont fermé les yeux et ils se sont concentrés quelques instants.

Carole-Anne, en gardant la main de Guillaume dans la sienne, a approché ses doigts du clavier. De son index, elle

tapait sur les touches qui formaient des mots, puis des phrases.

De cette manière, elle a tapé : esprit es-tu là ? Elle a posé la question à voix haute. Ses amis ont ouvert les yeux. Ils ont vu des lettres s'inscrire d'elles-mêmes : O U I. Si les garçons n'avaient pas serré dans leurs mains celles de Marie-Ève, elle aurait certainement brisé la chaîne. Ils ont senti qu'elle avait eu le réflexe de ramener ses mains vers elle. Carole-Anne a poursuivi son interrogatoire auquel répondait l'esprit par l'intermédiaire de l'écran.

— Esprit, quel est ton nom ?

— R A I S E

— Comment, tu ne t'appelles pas Henri alors ?

— O N N E D I R A I T P A S

— Raise qui ?

— H E I N

— Alors tu t'appelles Raise, hein ?

— T U A S T O U T C O M-P R I S

— Raise, sois honnête, es-tu un mauvais esprit ?

— N O N M A I S J A I M E E N F A I R E

— Faire quoi ?

— D E L E S P R I T

— Ah ! je vois. Un p'tit comique.

— H I ! H I !

— Es-tu mort depuis long-temps, le clown ?

— N O N

— Tu es mort de quoi ?

— D E R I R E

— Tu es l'esprit de qui ?

— D U V I E U X R A I S I N S U R L A B I B L I O T H È Q U E

Guillaume a craqué et son rire a fait « fuir » l'esprit. L'esprit d'un vieux raisin. Ça prenait juste Carole-Anne pour se moquer d'eux comme ça. Il pouvait bien s'appeler « Raise-hein. »

— On dirait que ça ne marche pas fort ton jeu, a soupiré Marie-Ève en riant. Comment se fait-il qu'il répondait des choses sensées à tes questions ?

— Bah ! j'avais déjà tout entré dans l'ordinateur. Les questions et les réponses. C'est aussi simple que ça. Pour l'instant, il est déjà presque vingt-deux heures trente et je ne voudrais pas manquer le vrai Henri.

Ils ont été parcourus d'un long frisson malgré eux. Ils ont soufflé les bougies, puis ils se sont préparés pour la nuit. Ils ont déroulé les matelas en caoutchouc mousse que Francine leur avait prêtés. Ils ont installé leurs sacs de couchage et s'y sont engouffrés avec leur lampe de poche.

Carole-Anne s'est couchée dans son lit pour s'assurer que l'esprit ne la confonde pas avec ses amis.

Chapitre 5

Manifestations inquiétantes

Malgré l'heure tardive, Guillaume n'arrivait pas à trouver le sommeil. Le vent sifflait furieusement sur les fenêtres de la maison. Francis ronflait et, par sa respiration profonde, on devinait que Marie-Ève dormait elle aussi.

Soudain, un cri.

— AHHH ! L'avez-vous entendu ? Avez-vous entendu cette voix caverneuse à faire dresser les cheveux sur la tête ? s'est écriée Carole-Anne en se jetant sous son lit.

— Hein ? Quoi ? a marmonné Marie-Ève tout ensommeillée.

— Ce n'est rien, rendors-toi, l'a rassurée Guillaume.

Il a pris sa lampe de poche et s'est approché du lit. Il a éclairé sa copine et il lui a chuchoté de se calmer. Que ce n'était que lui qui avait bâillé. Elle lui a pris sa lampe et la lui a retournée en plein visage.

— Excuse-moi de t'avoir fait peur. Ce n'était pas mon intention, a dit Guillaume, désolé.

— O.k., ça va. Tu es tout excusé.

— Merci.

— Guillaume…

— Oui ?

— Je sais que tu n'aimes pas parler de ça mais…

— Oui ?

— Comment ça va… ? Je veux dire…

— Tu veux savoir comment je me remets de la mort de papa ?

— Oui. Je pense souvent à ton père.

— Moi aussi. Peux-tu arrêter de m'aveugler s'il te plaît ?

— Oh ! excuse-moi.

— Ça dépend. Il y a des hauts et des bas, mais plus le temps passe, moins ça fait mal. Quand je me sens dans le creux d'une vague, j'écoute de la musique classique, du Beethoven puis, je pense à papa. Et tu sais quoi ?

— Non.

— Malgré tout, je me trouve chanceux. J'ai tant de bons souvenirs de lui !

— T'es sérieux ?

— Oui. J'ai eu plein de bon temps avec lui et personne ne peut m'enlever ça.

— C'est vrai, tu as raison.

— Carole-Anne ?

— Oui ?

— Comment fais-tu pour avoir des idées aussi saugrenues ? Tu as toujours des choses extravagantes à raconter. Tu dois y penser ou ça te vient tout seul ?

— Ça vient tout seul, je pense. Quand on est enfant unique, on doit développer un petit côté fantaisiste, je suppose. Histoire de fuir un peu la monotonie. Tu sais, mes parents travaillent beaucoup et ils ont peu de temps à me consacrer.

— Ils ont l'air gentils.

— Et ils le sont, quand ils sont disponibles. Ça ne fait rien, j'ai des amis comme vous et ça, ça vaut de l'or !

— Tu sais quoi ?

— Non.

— Tes folies, ça me fait du bien. Ça met des rires dans ma vie et je les rapporte chez moi, les rires je veux dire. Maman est si contente de retrouver le garçon joyeux que j'avais l'habitude d'être ! Merci Carole-Anne. C'est drôle, avec toi, ça me fait du bien d'en parler.

— Les amis sont faits pour ça. Je crois que tu devrais en discuter avec ta mère aussi.

— J'ai peur de lui faire de la peine en parlant de papa, mais tu as peut-être raison. Bon, il commence à se faire vraiment tard. Je pense que tu peux retourner dans ton lit maintenant.

— Tu as raison. Bonne nuit Guillaume.

— Bonne nuit Carole-Anne.

Guillaume a eu juste le temps de replonger dans son sac de couchage. Il a ensuite entendu clairement un léger tapotement qui venait du plafond. Sans trop élever la voix, il a demandé à Carole-Anne si elle avait entendu la même chose que lui.

— Tu peux le dire que j'ai entendu ! Il est là. Il est revenu ! a-t-elle dit, elle aussi, à voix basse, pour qu'IL ne parte pas.

— Marie-Ève, Francis, réveillez-vous ! a chuchoté Guillaume aux dormeurs en les secouant un peu. Carole-Anne avait raison. Écoutez ça !

La maison était redevenue silencieuse. Ils sont restés aux aguets, une... deux... trois minutes. Le souffle du vent s'était transformé en hurlement. Ou était-ce le cri furieux de l'esprit malin ? Puis les tapotements ont repris. Marie-Ève s'est précipitée dans son sac de couchage en quête de sa torche électrique. Tous les quatre avaient beau éclairer le plafond de partout, ils ne voyaient rien d'anormal.

Pourtant, le bruit persistait. Il y avait véritablement un fantôme dans la maison. Ils passaient la nuit dans une maison hantée.

— Peut-être qu'il pleut ? a tenté Marie-Ève, remplie d'espoir. Hein ? C'est peut-être la pluie qui fait tout ce chahut ?

Carole-Anne s'est mise debout sur son lit et a collé son petit nez à la fenêtre. Non, pas de pluie.

— Qu'est-ce qu'on fait ? a demandé Francis.

— Tu peux commencer par allumer la lumière, lui a suggéré Guillaume.

— Vas-y toi.

— Non, tu es plus proche.

— Allez-y donc tous les deux, leur a lancé Carole-Anne.

Elle était retournée se camoufler dans ses couvertures qu'elle avait remontées jusque sous ses yeux.

Ils n'ont pas pris deux secondes pour se rendre jusqu'à l'interrupteur, allumer et se dissimuler dans leur sac de couchage. Et quatre paires d'yeux ont scruté le plafond, les murs, le plancher, les meubles, les recoins.

— En tout cas, il n'aime pas les raisins secs, a remarqué Marie-Ève.

Elle avait constaté que le raisin en question était intact.

Comme elle terminait sa phrase, un éclair a illuminé la pièce. Le grondement menaçant du tonnerre l'a suivi de près. Le silence a de nouveau rempli la chambre. Des grattements ont succédé aux tapotements.

— Hé bien ! on dirait qu'il y a quelqu'un en haut qui veut sortir, a bégayé Francis en désignant le plafond.

— Tu penses à quoi au juste ? a réussi à articuler Guillaume.

— Ça peut être un fantôme ou quelqu'un de blessé, je ne sais pas !

— J'appelle maman. MAMAN !

Francine est arrivée subito-presto.

— Que se passe-t-il ?

— Maman, il y a encore eu des bruits. J'ai des témoins !

— C'est vrai Francine, a insisté Marie-Ève. Nous avons tous entendu des bruits vraiment épeurants !

La mère de Carole-Anne a aperçu le *Causerie avec les esprits qui se meurent d'ennui* qui traînait un peu plus loin dans la chambre.

— Je crois bien que ceci est la cause de toutes vos frayeurs. Je retourne me coucher, mais s'il y a du nouveau, appelez-moi.

— Bon, tu ne nous crois pas, tant pis. Est-ce qu'on peut lire, maman ?

— Oui, ma chérie, mais ne faites pas trop de bruit. Ton père doit se lever tôt demain matin.

Carole-Anne a sorti une bande dessinée : Garfield et il l'ont regardée ensemble. Cela a fini par apaiser leurs craintes. À bout de résistance, ils ont enfin sombré dans le sommeil.

Chapitre 6

Face à face
avec le monstre

Le dimanche, ils se sont réveillés assez tard puisqu'ils s'étaient endormis longtemps après minuit.

Puisque personne ne les croyait, ils avaient décidé d'aller affronter la créature eux-mêmes. Armés de leur lampe de poche, ils hésitaient sous le

panneau qui menait directement au grenier. Ils avaient
tous très peur d'affronter l'in-
connu.

Qu'y avait-il là-haut ? Un
homme qu'on avait voulu assassiner et dont on avait caché
le cadavre ? Était-il blessé et
trop affaibli pour appeler du
secours autrement qu'en grat-
tant les murs de ses ongles
à moitié arrachés ? Se trouvait-
il là depuis plusieurs semaines ? Ressemblait-il à un vieux
barbu échevelé au regard fou et
craintif ? N'avait-il que la peau
et les os à force de ne s'être
nourri d'insectes trop long-
temps ? Ou bien était-ce un
véritable fantôme complète-
ment dément ?

— Alors, on y va ou pas ?
s'est impatientée Marie-Ève,

qui voulait en finir au plus vite. J'ai dit à papa que je serais revenue à temps pour dîner.

— Ouais, elle a raison, a ajouté Francis. Aussi bien y aller tout de suite, le supplice a assez duré. D'autant plus que ta mère va finir par se demander ce que nous fabriquons.

— Je passe devant, a dit Guillaume.

Carole-Anne a retiré le panneau du plafond. Elle a approché un escabeau directement sous l'ouverture ainsi créée. Guillaume a mis en marche son éclairage. Il a grimpé à l'intérieur de l'endroit tant redouté. Les autres l'ont suivi.

— Vois-tu quelque chose, Guillaume ?

— Non, Francis, et toi ?

— Même pas une misérable toile d'araignée.

— Et vous les filles ?

— À part la poussière, rien, a dit Marie-Ève.

Puis, Carole-Anne a perçu un faible murmure venant d'un des coins du grenier. Comme si quelqu'un l'appelait.

— J'entends un bruit. Ça vient de par-là. Il m'appelle ! Allez-y les gars. Moi j'ai trop peur. Dites-lui que je suis en orbite autour de la terre. Que vous ne savez pas quand je rentrerai.

Un bruit sourd s'est fait entendre. Ensuite, ils se sont mis à crier en même temps que le fantôme. Leurs lumières couraient toutes ensemble. Elles leur laissaient voir de temps en temps un fantôme qui filait à toute allure d'un bout à l'autre de la pièce en gesticulant comme un enragé.

Tolérante, Francine les laissait faire ce vacarme, croyant qu'ils s'amusaient.

— Mes lunettes ! J'ai échappé mes lunettes ! Je ne vois plus rien ! s'est écrié Carole-Anne.

Ils ont entendu un gros BOUM ! et le fantôme est apparu, là, à leurs pieds. Il se débattait comme un poisson hors de l'eau. Au moins, il avait cessé de courir partout. Les lampes-torches étaient braquées sur lui.

— Mais aidez-moi donc ! a crié Carole-Anne qui se débattait avec le fantôme drapé.

Courageusement, les enfants ont sauté sur la terrifiante chose blanchâtre. Ils ont atterri sur leur amie, tout enroulée

dans un vieux drap jauni par le temps.

— Ah ! ça, Carole-Anne, ce n'était pas drôle du tout. Je rentre chez moi !

— Marie-Ève, reste ! Je te jure que je n'ai pas fait de mauvaise blague. J'avais perdu mes lunettes. Je ne savais pas que j'étais en train d'assassiner le fantôme !

— Mais non, tu n'as rien as-
sassiné. Ce n'est qu'un drap…

Un cri strident a tranché la
phrase de Guillaume comme
un couteau. Le garçon a projeté
un jet de lumière qui a aveuglé
une paire de grands yeux.

Un singe ! Un singe était là et
les fixait, probablement encore
plus apeuré qu'eux-mêmes.

— Vous avez vu ça ?

— Oui, Francis, a répondu Guillaume. Curieux qu'il soit si tranquille.

— Tant mieux, tu veux dire, a ajouté Marie-Ève. Mais d'où peut bien sortir ce singe ?

— Hum…Je crois le savoir, a déclaré Carole-Anne. Ce doit être le singe que Grégoire a vu au cirque. Je ne savais même pas qu'il s'était évadé. Je pense que je dois des excuses à Grégoire. Il y avait bien quatre singes au cirque en fin de compte.

— Et ta mère qui cherchait ses bananes, a pouffé Francis.

Çà et là, les pelures de bananes avaient été abandonnées sur le sol. Dans un coin, monsieur le primate s'était installé bien à son aise. Il avait empilé plusieurs draps et couvertures afin de se faire un lit douillet. Et s'il avait trouvé les bananes, il avait aussi certainement repéré le bol d'eau de la chatte.

— Hé bien, qu'est-ce qu'on fait maintenant ? Quelqu'un veut l'attraper ? a proposé Guillaume.

— Tu peux si tu veux, a rétorqué Francis.

— Euh…ça ne me tente pas vraiment, et toi Marie-Ève ?

— Je laisse mon tour à Carole-Anne.

— Pfff ! Pas plus folle que vous ! J'appelle maman. Maman !

✐

Francine et son mari ont dû faire nettoyer le grenier. Ils ont fait réparer le petit trou de la

toiture par lequel l'ami velu s'était faufilé.

C'est ainsi que les enfants ont résolu le mystère du fantôme de Carole-Anne. Quant au singe, il a évidemment été très heureux de retrouver ses compagnons de cirque. Je parierais deux bananes qu'il ne fera pas une deuxième fugue.

Mardi matin, avec vingt minutes de retard, Carole-Anne est entrée en trombe dans la classe. Elle était tout essoufflée, décoiffée et habillée de travers. Cela avait l'air grave.

— Pfff !... Excusez-moi d'être en retard... pfff !... mais... il y a une famille de loups-garous

dans le sous-sol de notre maison !

Les élèves ont commencé à rire. Guillaume s'est levé.

— Si elle le dit, c'est que c'est vrai. Moi, je te crois Carole-Anne.

Marie-Ève et Francis se sont levés également. Ils ont appuyé Guillaume en échangeant avec la retardataire un clin d'oeil complice. Ils venaient de comprendre que tous les quatre, ils allaient vivre encore d'autres aventures extraordinaires où l'imaginaire et l'amitié seraient au rendez-vous.

Carole Montreuil

Native de Jonquière, j'habite maintenant l'Outaouais avec mon mari et nos deux enfants. D'aussi loin que je me rappelle, j'ai toujours eu un livre ou deux sous la main. Dès que j'ai su écrire, les feuilles sont rapidement devenues de précieuses amies. Avec des livres, du papier et un crayon, on peut aller partout et tout voir, même des endroits, des gens et des choses qui n'existent pas.

Alors, n'hésitez pas et plongez dans tous les livres qui vous feront un clin d'oeil. Faites-vous plaisir et régalez-vous.

Bruno St-Aubin

Brrrrrr !
Je suis le plus peureux
des illustrateurs. Quand
tombe la nuit, je frisson-
ne de peur. La noirceur
qui m'enveloppe allume
mon imagination débridée. J'y vois
toutes sortes de monstres aussi
épeurants que loufoques. Ça dépend
de mon humeur. Quand je suis bien,
mes monstres nocturnes me font rire,
mais quand ça ne va pas, ils
m'effraient juste à y penser…

Imaginez-vous quand j'illustre
un livre qui s'intitule : *Frissons dans
la nuit* ! J'en suis quitte pour quelques nuits blanches truffées de cau-
chemars !

Bonne nuit mes ami-es !
Boooooouuuuuhhhhhhh !

MA PETITE VACHE A MAL AUX PATTES

Imprimé sur du papier 100 % postconsommation, traité sans
chlore, accrédité Éco-Logo et fait à partir de biogaz.

**Achevé d'imprimer
sur les presses de Marquis Imprimeur
à Cap St-Ignace
en mars 2006**